GW00645010

Markus Osterwalder, geb. 1947 bei Zürich, Schrift-
setzerlehre, Graphiker bei einem Schulbuchverlag
in Paris, dann bei einem Hamburger Verlag für die
Zeitschrift «Akut». Mehrere Jahre Layouter beim
«ZEITmagazin». Jetzt künstlerischer Leiter bei
einem Kinderbuchverlag in Paris. Autor eines Illu-
stratoren-Nachschlagewerkes «Dictionnaire des Illu-
strateurs 1800−1914», Paris, und «1890−1945», Ides
et Calendes, Neuchâtel (Schweiz). Lebt in Arcueil bei
Paris. Wie bei dem ersten Band «Bobo Siebenschläfer» (Band 20368) hat die kleine Tochter des Autors
auch bei diesem Buch mitgeholfen (vor allem im
Kapitel: Bobo packt seinen Koffer).
1997 erschien «Bobo Siebenschläfer ist wieder da»
(Band 20847).

Markus Osterwalder

Bobo Siebenschläfer
macht munter weiter

Bildgeschichten
für ganz Kleine

Rowohlt Taschenbuch Verlag

Neuausgabe
Veröffentlicht im Rowohlt Taschenbuch Verlag GmbH,
Reinbek bei Hamburg, Oktober 2002
Copyright © 1986 by Rowohlt Taschenbuch Verlag GmbH,
Reinbek bei Hamburg
Umschlaggestaltung any.way, Barbara Hanke
Umschlagillustration Markus Osterwalder
Alle Rechte vorbehalten
Satz Apollo PostScript, QuarkXPress 4.11
Gesamtherstellung Clausen & Bosse, Leck
Printed in Germany
ISBN 3 499 21222 6

Die Schreibweise entspricht den Regeln
der neuen Rechtschreibung.

Für Annette, Lili und Nina,
Nonna, Gebi und Madeleine
und Sandra-Ayesha

Inhalt

8   Bobo kann schon
     allein aufstehen

22   Bobo packt
     seinen Koffer

40   Bobo bei
     der Großmutter

56   Bobo auf
     dem Bauernhof

74   Bobo
     im Schwimmbad

92   Bobo
     im Zirkus

106   Bobos
      Heimfahrt

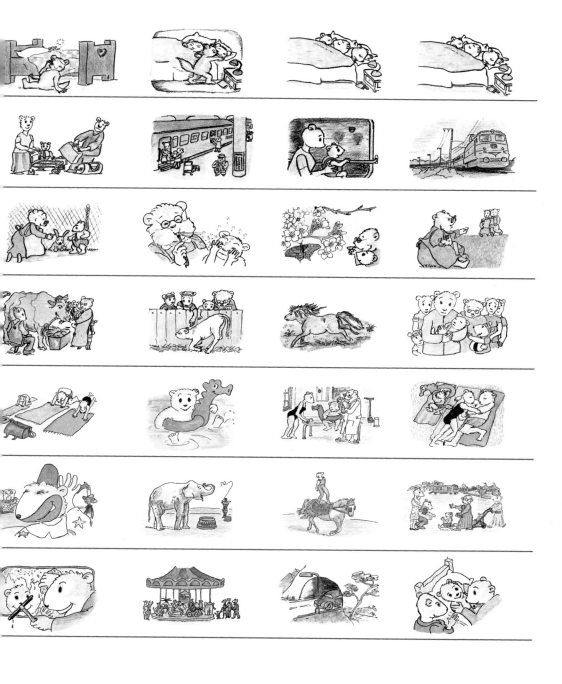

Bobo kann schon

Bobo ist aufgewacht. Er klettert aus seinem Bett.

allein aufstehen

Seinen Fuß setzt er schon auf das Wägelchen.

Aufpassen, Bobo!

Hoppla! Bobo ist ausgerutscht.

Au! Er ist auf seinen Po gefallen.

Aber es tut gar nicht mehr weh.
Bobo steht auf.

Bobo will die Tür aufmachen.
Aber er ist noch zu klein.

Es geht nicht.
Was soll Bobo denn nun machen?

Vielleicht die Spielzeugkiste?

Jetzt geht es!

Die Tür ist offen.
«Chr … Chr …» Da schnarcht doch jemand!

16

Schon ist Bobo an der nächsten Tür. Ganz leise geht er
in das Schlafzimmer von Mama und Papa Siebenschläfer.

Mama und Papa Siebenschläfer schlafen noch.

Bobo tapst zu ihrem Bett.

Bobo gibt Papa ein Küsschen.

Papa hebt Bobo ins Bett.

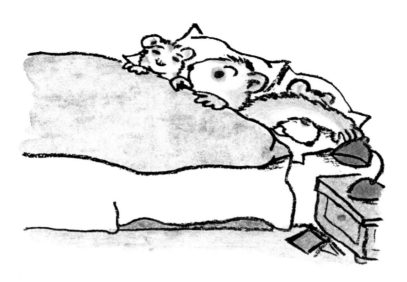

Bobo ist bei Mama unter die Decke gekrochen.
Er gibt Mama ein Küsschen.

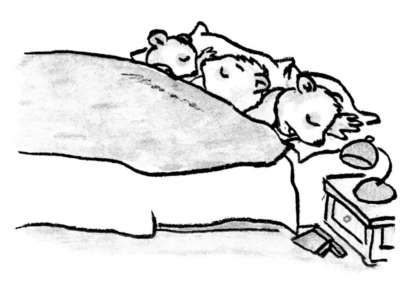

Papa schläft wieder ein. «Du musst auch noch ein bisschen
schlafen», sagt Mama. «Heute Abend fahren wir mit
der Eisenbahn zu Großmutter!» – «Au ja!», sagt Bobo.

Bobo packt seinen Koffer

Papa und Mama packen die Koffer.

Auch Bobo will sein Köfferchen packen.

Bobo möchte alle Spielsachen mitnehmen.
Aber der Koffer ist zu klein.

24

Was braucht Bobo denn alles für seine Reise?

Papa hilft Bobo beim Einpacken.

Papa telefoniert.
«Hallo Taxi! ... Ja bitte ... in zehn Minuten. Danke!»

Das Taxi ist gekommen. Der Taxifahrer macht
den Kofferraum auf und stellt das Gepäck hinein.

Bobo sitzt schon im Taxi.

Alle sind eingestiegen. Brrmm! Los geht's!
«Zum Bahnhof, bitte!», sagt Papa zum Taxifahrer.

Das Taxi hält vor dem Bahnhof. Papa bezahlt.

Papa lädt die Koffer auf einen Gepäckwagen.

«Ich auch!», sagt Bobo. Er darf mitfahren.

«Halt dich gut fest!», sagt Mama.

«Dort wartet unser Zug, Bobo!»,
sagt Mama Siebenschläfer.

Eine Lokomotive pfeift.
Bobo erschrickt.

33

«Hier ist unser Wagen», sagt Papa.
Er hebt Bobo zu Mama in den Wagen hoch.

«Hier ist unser Abteil.»

«Hier schlafen Mama und Bobo. Und da schläft Papa.
Setz dich erst mal hierher!»

Papa stellt das Gepäck hoch.
Bobo bekommt seine Flasche mit Kakao.

35

«Siehst du, Bobo, der Zug fährt schon!», sagt Mama.
Aber Bobo muss mal.

Mama und Bobo gehen zur Toilette.
«Nicht alles anfassen, Bobo!»

36

«Und jetzt die Hände waschen!»

«Und die Hände mit Papier abtrocknen!»

Sie gehen ins Abteil zurück. Papa liegt schon im Bett.
Bobo und Mama gucken aus dem Fenster.

Bobo hat noch nie in einem Bett geschlafen,
das durch die Nacht fährt.

Jetzt legen Mama und Bobo sich auch ins Bett.
«Ist Bobo schon eingeschlafen?», fragt Papa.
«Psst!», macht Mama und nickt mit dem Kopf.

Der Zug fährt weiter durch die Nacht.
De-dim ... de-dim ... de-dim ...

Bobo
bei der
Großmutter

Das ist Großmutters Haus.

Bobo drückt schon auf die Klingel.

«Ja, wer ist denn da! Mein kleiner Bobo besucht mich!
Kommt alle herein!», ruft Großmutter.

«Habt ihr auch eine schöne Reise gehabt? Ich mache euch
gleich ein Frühstück. Hat mein kleiner Süßer denn
auch Hunger?

Möchtest du ein Brötchen, Bobo?
– Kannst du schon aus einer Tasse trinken?

Bist du auch schon satt?», fragt Großmutter.
Aber Bobo flüstert Mama etwas ins Ohr.
«Was will er denn?», fragt Großmutter.

«Ah! Bobo will die Kaninchen sehen!
Dann komm! Großmutter zeigt dir die Kaninchen!»

Mama und Papa können jetzt in Ruhe
weiterfrühstücken.

«Wir zwei gehen jetzt Kaninchen füttern.
Weißt du noch, wo die Kaninchen sind?»

«Da!», sagt Bobo.
«Ja, du weißt es noch!», sagt die Großmutter.

45

Die Kaninchen!

Ein kleines Kaninchen kommt an den Zaun.

«Hier, Bobo! Nimm dies Blättchen
und gib es dem Kaninchen zu fressen!

Ja, die Löwenzahnblätter mag es gern!

Und das ist die Löwenzahnblume!

Es ist eine richtige Pusteblume!»

Bobo pustet auch.

«Tüt tüt.»
Großmutter macht Musik mit dem Blumenstängel.

«Psst! Siehst du da die Heuschrecke?!

Hopp! Jetzt hüpft sie weg!

Oh! Was krabbelt da auf meinem Finger?! Ein Marienkäfer!

Ffffh! Jetzt fliegt das Marienkäferchen weg!»

«Was ist das?», fragt Bobo.

«Das ist eine Ameise.»

«Was ist das?», fragt Bobo.
«Das ist eine Raupe. Sie frisst Blätter.

Daraus wird mal ein Schmetterling.
Einer wie dieser. Nein! Nicht anfassen, Bobo!

Hmm, schau mal hier!

Eine Erdbeere für dich!»

Mmmm. Das schmeckt!

«Da kommen ja Mama und Papa!», sagt Großmutter.
Aber Bobo ist schon eingeschlafen.

Bobo auf dem Bauernhof

Brrm! Ein Auto ist angekommen. Bobo bekommt Besuch.
Wer sitzt denn darin?

Auch Großmutter guckt neugierig aus dem Fenster.

Es sind Bobos Kusinen Lili und Nina. «Sag ihnen guten
Tag!» Aber Bobo versteckt sich hinter seiner Großmutter.

Lili gibt Bobo ein Küsschen.
Und Großmutter gibt Nina ein Küsschen.

58

Das Mittagessen steht schon auf dem Tisch.
«Setzt euch und greift zu», ruft Großmutter.

Bobo sitzt zwischen Lili und Nina.

59

Lili steckt Bobo ein Pommes-frites-Schnitzel
in den Mund.

Nina will Bobo auch eines geben.
Oh, jetzt ist der Apfelsaft umgekippt!

«Jaja, die Kinder», sagt Großmutter und wischt
die Flecken weg.

«Kommt, Kinder! Jetzt wollen wir spazieren gehen!»

Alle machen jetzt einen Spaziergang.
Bobo, Großmutter, Lili, Nina, Onkel und Tante
und Mama und Papa Siebenschläfer.

«Aaahh! Die gute Luft hier im Wald! Tief einatmen!»,
sagt Großmutter.

«Ist es noch weit?», fragt Nina.
«Psst», macht die Großmutter. «Schaut, die Rehe!»

«Sind wir bald da?», fragt Lili.
«Dahinten liegt schon der Bauernhof», sagt Großmutter.

Sie setzen sich in die Gartenwirtschaft.
Aber die Kinder wollen erst die Tiere ansehen.

«Hund», sagt Bobo. Der Hund macht wau, wau!

Im Stall stehen die Kühe. Sie fressen Gras.

Die Kühe wedeln mit dem Schwanz.

Eine Kuh wird gemolken.
«Feine frische Milch», sagt Großmutter.

Bobo streichelt eine Kuh. «Muuhh», macht die Kuh.

Lili streichelt das Kälbchen. Bobo möchte auch.

Ein Kälbchen trinkt Milch bei seiner Mama.

Gleich nebenan ist der Schweinestall.

Lili gibt dem Schwein einen Keks.

Auf der Weide hinter dem Stall sind die Pferde.
Ein Pony ist auch dabei.

Die Kinder geben dem Pony frisches Gras zu fressen.

«Iiiiiih-Iiiihhh», macht das Pony.

Das Pony rennt weg.

Die Bäuerin streut Körner für die Hühner, für den Hahn,
für die Gänse und die Enten.

«Oh, die Kätzchen!»
Bobo will auch ein Kätzchen streicheln.

Die Kinder haben Durst.
Sie laufen zu ihren Eltern zurück.

Die sitzen noch am Tisch.

Bobo klettert auf Mamas Schoß. Er trinkt Apfelsaft.

Da sagt Onkel Siebenschläfer: «Wir müssen wieder nach Haus.» Aber Bobo ist schon eingeschlafen. Papa trägt ihn.

Bobo im Schwimmbad

Mama und Papa Siebenschläfer
fahren mit Bobo ins Schwimmbad.

Vorher halten sie an einem Spielwarenladen.

Bobo möchte ein aufblasbares Seepferdchen.

«Hier, Bobo, dein Seepferdchen!», sagt der Verkäufer.

Bobo weint. Er möchte kein flaches Paket.
Er möchte das aufgeblasene Seepferdchen.

«Was hat er denn?», fragt Mama. «Bobo glaubt nicht, dass dies hier auch ein Seepferdchen ist», sagt Papa.

Papa bläst das gekaufte Seepferdchen auf.

Bobo freut sich.

Sie kommen zum Schwimmbad.
Sie schließen die Fahrräder an.

Sie kaufen die Eintrittskarten.
«Zwei Erwachsene, ein Kind.»

Bobo geht mit Mama in die Umkleidekabine.

Sie geben ihre Kleider ab.
Bobo hat eine Badehose an.

Papa wartet schon.

Jetzt suchen sie einen Platz, wo sie sich
sonnen können.

Sie breiten ihre Badetücher aus.
Bobo möchte ins Wasser.

Aber als er seinen Fuß ins Wasser setzt,
sagt er: «Pipi!»

Mama und Bobo gehen zur Toilette.

Auf dem Rückweg verbrennt sich Bobo das Ohr
an einer Zigarette. Der Mann hat nicht aufgepasst.
«Au!», macht Bobo. «'tschuldigung», sagt der Mann.

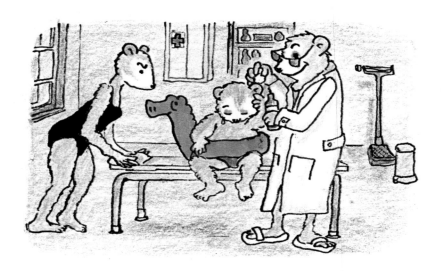

Die Krankenschwester tupft das Ohr mit einem
Wattebausch. Es tut nicht mehr weh.

Bobo zeigt Papa sein Ohr. «Oh! Ein Pflaster!», sagt Papa.
Bobo steigt mit seinem Seepferdchen ins Kinderbecken.
Da kann er noch stehen.

Bobo planscht.

Bobo guckt, was die anderen Kinder machen.

Ein Junge springt ins Wasser. Platsch! Wie das spritzt!
Bobo und sein Gummipferdchen kippen beinahe um.

Bobo kommt aus dem Wasser. «Hast du genug gebadet?»,
fragt Papa Siebenschläfer. «Komm, ich trockne dich ab.»

«Guck mal, da drüben im tiefen Becken schwimmt Mama!»

Papa hat Bobo ein Eis gekauft. Bobo schleckt ...

und schleckt ...

... bis kein Eis mehr da ist.

Aber wo ist Papa geblieben?

Bobo weint.

Papa Siebenschläfer ist gekommen
und nimmt Bobo auf den Arm.

Papa legt Bobo auf das Badetuch neben Mama.

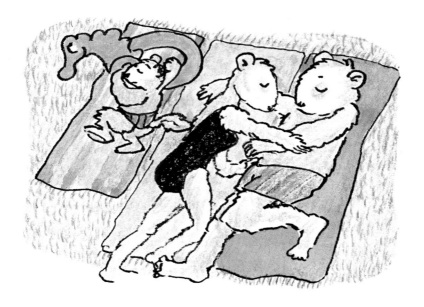

Mama, Papa und Bobo sind eingeschlafen.

Bobo
im
Zirkus

Mama, Papa und Bobo warten an der Ampel.

Papa winkt zu Großmutter. Sie sitzt in einem Straßencafé.

Sie setzen sich zu Großmutter.
«Was möchtest du trinken?», fragt sie Bobo.

Bobo möchte eine Limonade. «Ich bezahle sofort»,
sagt Großmutter zu dem Kellner.

«Komm, Bobo, wir müssen jetzt gehen. Der Zirkus
fängt gleich an. Sag Mama und Papa auf Wiedersehen!»

Mama und Papa winken.
«Du wirst auch immer schwerer», sagt Großmutter.

Da sind das große Zirkuszelt und die Zirkuswagen.

Bobo hat einen eigenen Platz. Die Musik spielt laut.

«Hallo, Kinder! Willkommen im Zirkus!», ruft der Clown.
«Wollen wir anfangen?!» – «Ja!!!», schreien die Kinder.

«Wie bitte?», fragt der Clown. «Jaaa!!!», schreien die Kinder.

«Oh! Das war aber laut!» Der Clown ist vor
lauter Schreck über den dummen August gestolpert.

«Pardauz!» Und auf seinen Po gefallen.
Die Kinder lachen und kichern.

Der Clown ist böse und schimpft.
August läuft weg.

Der Clown rennt hinter ihm her
und tritt ihn in den Hintern.

Da steht plötzlich der Zauberer mit seiner Zauberkiste.
August versteckt sich schnell in der Kiste.

«Mach die Kiste auf!», sagt der Clown zum Zauberer.

Der Zauberer nimmt die Kiste auseinander.
Aber August ist nicht mehr drin. Nur ein alter Affe.

Der Affe hüpft fort. Der Clown hinterher.

Aber das Äffchen ist auch verschwunden.
Da kommt der Elefant.

Der kann auf seinen Hinterbeinen tanzen.

Und Kopfstand machen.

Da kommt ein Mann angeritten. Der steht
auf seinem Pferd und fällt gar nicht herunter.

Großmutter klatscht. Bobo klatscht auch.
Das Kind neben Bobo ist eingeschlafen.

Vor dem Zirkus stehen Papa und Mama.
Bobo rennt zu ihnen.
«Na, war's schön?», fragt Papa.

Papa hilft der Frau mit dem schlafenden Kind
die Karre hochtragen. «Danke», sagt die Frau.

Auch Bobo ist eingeschlafen.
Mama und Papa Siebenschläfer fahren Großmutter
zu ihrem Haus.

Bobos Heimfahrt

Bobo sitzt im Auto. Großmutter winkt und weint
ein bisschen. Bobo fährt wieder nach Hause.

Onkel Michel sitzt am Steuer.
«Kommt bald wieder!», ruft Großmutter.

Bobo guckt aus dem Rückfenster. Das Auto fährt schon.
Großmutter winkt immer noch.

Bobo sieht einen Lastwagen.

Am Himmel fliegt ein Flugzeug.
«Da wäre ich jetzt gern drin!», sagt Mama Siebenschläfer.

Über die Brücke fährt die Eisenbahn. «Guck mal, Bobo!
Mit so einer Eisenbahn sind wir zu Großmutter gefahren.»

Huuhi – Huuhi!, bläst der Wind über das Auto.
Plitsch, platsch macht der Regen.

Bobo drückt die Nase an die Autoscheibe.
Es regnet immer mehr.

Sie halten an einer Tankstelle.
«Einmal voll tanken bitte!» Benzin wird nachgefüllt.

Onkel Michel putzt schnell die Scheiben, und weiter geht's.

Bald halten sie an einer Raststätte.

Sie kaufen etwas zu essen und zu trinken.

«Guten Appetit!» Bobo darf im Kinderstuhl sitzen.

Onkel Michel kauft Bobo ein Spielzeugauto.

«Einsteigen! Es geht weiter!»

. . . und weiter . . .

Mama liest Bobo eine Geschichte vor. Bobo macht «Brmm».

Die Fahrt dauert lang. Bobo spielt mit seinem Auto.
«Brrmm.»

Sie machen Rast in einer fremden Stadt.

Da gibt es gerade einen Jahrmarkt
mit einem großen Karussell.

Bobo sitzt in einem Flugzeug.

Bobo winkt, und Papa winkt.

Das Karussell hält an.
Papa hilft Bobo aus dem Flugzeug.

Bobo sitzt mit Papa auf einem Karussellpferd.

Aber jetzt ist Schluss. Sie gehen zum Auto zurück.

Einsteigen!

Das Auto fährt schnell ...

... in einen Tunnel hinein ...

... aus einem Tunnel heraus ...

... es fährt und fährt und fährt.
Bobo schläft und schläft und schläft ...

«Endlich wieder zu Hause!», ruft Mama Siebenschläfer.
Onkel Michel sagt: «Auf Wiedersehen!», und winkt.
«Danke fürs Mitnehmen!», sagt Papa.

Er trägt die Koffer ins Haus. Mama trägt Bobo.

Bobo ist wieder in seinem eigenen Bett.
Da wacht er auf.
«Hallo, Bobo!»,
sagt Papa Siebenschläfer.
«Hallo, Bobo!»,
sagt Mama Siebenschläfer.

Markus OSTERWALDER
Bobo Siebenschläfer
Bildgeschichten für ganz Kleine

Markus OSTERWALDER
Bobo Siebenschläfer
macht munter weiter
Bildgeschichten für ganz Kleine

Markus OSTERWALDER
Bobo Siebenschläfer
ist wieder da
Bildgeschichten für ganz Kleine

**Der Klassiker für Kleinkinder:
ein Rotfuchs-Dauerseller!**

Markus Osterwalder
Bobo Siebenschläfer *Bildgeschichten für ganz Kleine*
(20368)
Bobo Siebenschläfer ist
genau wie sie – die kleinen
nimmermüden lieben
Quälgeister so um die zwei
Jahre, die an diesen leicht
verständlichen Geschichten
aus dem Kinderalltag ihr
Vergnügen haben. Durch
über zweihundert farbige
Bilder pro Band stapft der
muntere Bobo Siebenschlä-
fer.

**Bobo Siebenschläfer macht
munter weiter** *Bild-
geschichten für ganz Kleine*
(20416)

**Bobo Siebenschläfer ist wieder
da** *Bildgeschichten für ganz
Kleine*
(20847)

Weitere Informationen in
der **Rowohlt Revue** und im
Rotfuchs-Schnüffelbuch, beides
kostenlos im Buchhandel,
und im **Internet: www.rororo.de**